周作人著作

中国新文学的源流

钟叔河——编订

岳麓书社·长沙

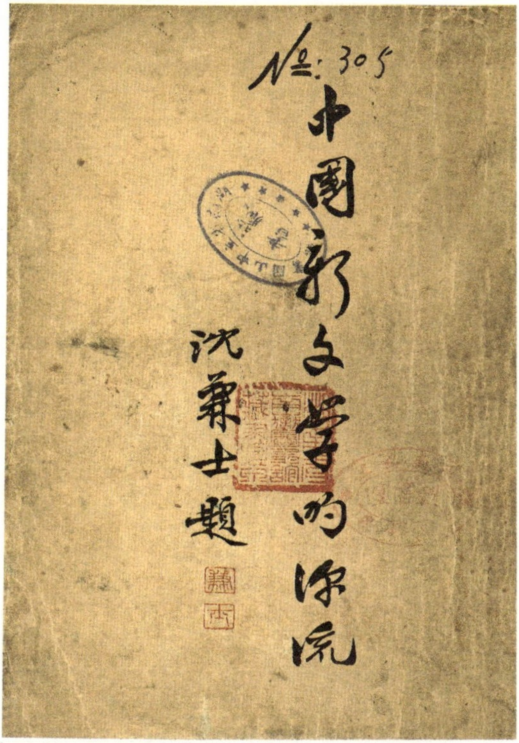

人文书店本《中国新文学的源流》

编者的话

钟叔河

一九八七年一月七日《光明日报》上，岳麓书社刊出了我拟稿的一帧广告（左图），宣布了书社和我对重印周作人著作的观点：

“人归人，文归文。周作人其人的是非功过是另一问题，其书的主要内容是对传统文化和国民性进行反思，对中国—西方和中国—日本的文化历史进行比较研究，今之读者却不可不读。……”

随即便开始出书。既出周作人著作的单行本，也出精装合订本。两年之间，出了二十四种。

书当然不是想出便能出的，得按规矩，走程序。周家授权了，报告批复了，宋木文、杨牧之、伍杰各位领导都当面或来信表示应允和支持了，便能够出了。

出就得出好。当时强调了两条：（一）因为均系据旧本重印，所以一定要认真校订，尽力改正旧本误植失校的错误；（二）因为手稿不存，无法对勘，所以一定要详出校记，改动处一概保留原文，承担责任。

这两条，读者看来大都是认可的。直到如今，在旧书网上，八十年代“岳麓版”的周作人著作，始终都卖得不错。

现在，岳麓书社决定又来重版周作人著作，仍然要我负责编订，做法则一仍其旧。还是这些书，还是这两条，新的广告也就不必再做了。

鄢琨君三十年前和我同编了这些书，此次仍然合作，所有案头工作都是他做，各书重版说明也多是他写的。校记原列表在书末，如今改作尾注。鄢君新增校改之处，标出“鄢校”，特此说明，并志感谢。

二〇一八年五月十五日于长沙。

重版说明

《中国新文学的源流》，一九三二年九月北平“人文书店”初版。和周作人的其他文集不同，除了一篇小引，它的内容并非周氏本人写作的文字，而是一个学生听他讲演的笔记。

一九三二年三四月间，周作人应沈兼士之邀，在辅仁大学做了八次讲演。《小引》云：“所讲的题目从头就没有定好，仿佛只是什么关于新文学的什么之类，既未编讲义，也没有写出纲领来。”当时听讲演的学生邓广铭（恭三）却详细做了听讲笔记，整理后送交周作人审阅，这才有了这本“小而可贵的书”（钱锺书语）。初版本封面书名由沈兼士用行书题写，署名“周作人讲校·邓恭三记录”。据邓广铭说，周作人将稿费全部给了他，使他这个穷学生能“奢侈”地订购了一套商务印书馆的线装“百衲本二十四史”。

书后有附录两篇：周作人《论八股文》和《沈启无选辑近代散文钞目录》。

我社一九八九年六月据人文书店本校订印行，此次仍依该本加校重版。

目录

小引①

本年三四月间沈兼士先生来叫我到辅仁大学去讲演。说话本来非我所长，况且又是学术讲演的性质，更使我觉得为难，但是沈先生是我十多年的老朋友，实在也不好推辞，所以硬起头皮去讲了几次，所讲的题目从头就没有定好，仿佛只是什么关于新文学的什么之类，既未编讲义，也没有写出纲领来，只信口开河地说下去就完了。到了讲完之后，邓恭三先生却拿了一本笔记的草稿来叫我校阅，这颇出于我的意料之外，再看所记录的不但绝少错误，而且反把我所乱说的话整理得略有次序，这尤其使我佩服。同时北平有一家书店愿意印行这本小册，和邓先生接洽，我便赞成他们的意思，心想一不做二不休，索性印了出来也好。就劝邓先生这样办了。

我想印了出来也好的理由是很简单的。大约就是这几点：其一，邓先生既然记录了下来，又记得很好，这个工作埋没了也可惜。其二，恰巧有书店愿印，也是个机缘。其三，我自己说过就忘了，借此可以留个底稿。其四，有了印本，我可以分给朋友们看看。这些都有点儿近于自私自利，如其要说得冠冕一点，似乎应该再加上一句：公之于世，就正大雅。不过我觉得不敢这样说，我本不是研究中国文学史的，这只是临时随便说的闲话，意见的谬误不必说了，就是叙述上不完不备草率笼统的地方也到处皆是，当作谈天的资料对朋友们谈谈也还不妨，若是算它是学术论文那样去办，那实是不敢当的。万一有学者看重我，定要那样地鞭策我，我自然也硬着头皮忍受，不敢求饶，但总之我想印了出来也好的理由是如上述的那么简单，所可说的只有这四点罢了。

末了，我想顺便声明，这讲演里的主意大抵是我杜撰的。我说杜撰，并不是说新发明，想注册专利，我只是说无所根据而已。我的意见并非依据西洋某人的论文，或是遵照东洋某人的书本，演绎应用来的。那么是周公孔圣人梦中传授的吗？也未必然。公安派的文学历史观念确是我所佩服的，不过我的杜撰意见在未读三袁文集的时候已经有了，而且根本上也不尽同，因为我所说的是文学上的主义或态度，他们所说的多是文体的问题。这样说来似乎事情非常神秘，仿佛在我的杜园瓜菜内竟出了什么嘉禾瑞草，有了不得的样子；我想这当然是不会有的。假如要追寻下去，这到底是哪里的来源，那么我只得实说出来：这是从说书来的。他们说三国什么时候，必定首先喝道：且说天下大势，合久必分，分久必合。我觉得这是一句很精的格言。我从这上边建设起我的议论来，说没有根基也是没有根基，若说是有，那也就很有根基的了。

中华民国二十一年七月二十六日，周作人记于北平西北城。

【锺校】

①《中国新文学的源流》是1932年2—4月在辅仁大学所做的讲演，由学生邓恭三（广铭）记录，周作人本人校阅后曾单独印行，此即据单行本。

第一讲　关于文学之诸问题

文学是什么

文学的范围

研究的对象

研究文学的预备知识

文学的起源

文学的用处

现在所定的讲题是“中国的新文学运动”，是想在这题目之下，对于中国新文学运动的源流、经过和它的意义，据自己所知道所见到的，加以说明。但为了说明的方便，对于和这题目有关的别的问题，还须先行说明一下：

（一）文学是什么

关于文学是什么的问题，至今还没有一定的解答。这本是一个属于文学概论范围内的题目，应当向研究文学的专门家去问，无奈专门家至今也并没有定论。试翻开文学概论一类的书籍看，彼此所下的定义各不相同。本来这也是一件很困难的事。有一位英国人曾作过一篇文章，里面大体的意思是说：在各种学问里面，有些是可以找出一定的是非来的，有些则不能。譬如化学上原子的数目，绝不能同时有两个，有两个则必有一对一错。假如有人发见了一种新原子，别人也断不能加以否认。生物学上的进化论也是如此，既然进化论是对的，一切和进化论相反对的学说便都是错的。另外如哲学宗教等等，则找不出这样绝对的是与非来。自古代的希腊到现在，自亚力士多德的哲学，以至詹姆斯和杜威的实验哲学，派别很多很多，其中谁是谁非，是没有法子断定的，到了宗教问题尤甚。这是一种所谓不可知论。我觉得文学这东西也应是这种不可知的学问之一种，因而下定义便很难。现在，我想将我自己的意见说出来，聊供大家的参考。因为对于文学的理论，自己不曾作过专门的研究，其中定不免有许多可笑的地方。大家可向各种文学概论书籍里面去找，如能找到更好的说法那便最好了。

在我的意见——其实也是很笼统的——以为：

文学是用美妙的形式，将作者独特的思想和

感情传达出来，使看的人能因而得到愉快的一种东西。

这样说，自然毛病也很多，第一句失之于太笼统；第二句是人云亦云，大概没有什么毛病；第三句里面的“愉快”二字，则必会有人以为最不妥当。不过，在我的意思中，这“愉快”的范围是很广的：当我们读过一篇描写“光明”描写“快乐”的文字之后，自然能得到“愉快”的感觉；读过描写“黑暗”描写“凄惨”的作品之后，所生的感情也同样可以解作“愉快”——这“愉快”是有些爽快的意思在内。正如我们身上生了疮，用刀割过之后，疼是免不了的，然而却觉得痛快。这意思金圣叹也曾说过，他说生了疮时，关了门自己用热水烫洗一下，“不亦快哉”。这也便是我的所谓“愉快”。当然这“愉快”不是指哈哈一笑而言。

实际说来，愉快和痛苦之间，相去是并不很远的。在我们的皮肤作痒的时候，我们用手去搔那痒处，这时候是觉得愉快的，但用力稍过，便常将皮肤抓破，便又不免觉得痛苦了。在文学方面，情形也正相同。

一位法国诗人，他所作的诗都很难懂，按他的意见，读诗是和儿童猜谜差不多，当初不能全懂，只能了解十分之三四，再由这十分之三四加以推广补充，得到仿佛创作的愉快。以后了解的愈多，所得的愉快也愈多。正如对儿童打一谜语说“蹊跷实蹊跷，坐着还比立着高”，在儿童们乍听时当然不懂，然而好奇心使得他们高兴，等后来再告诉他们说这是一个活的东西，如此便可以悟得出是一只狗，也便因而感到更多的愉快了。

（二）文学的范围

近来大家都有一种共通的毛病，就是：无论在学校里所研究的，或是个人所阅读的，或是在文学史上所注意到的，大半都是偏于极狭义的文学方面，即所谓纯文学。在我觉得文学的全部好像是一座山的样子，可以将它画作山似的一种图式：

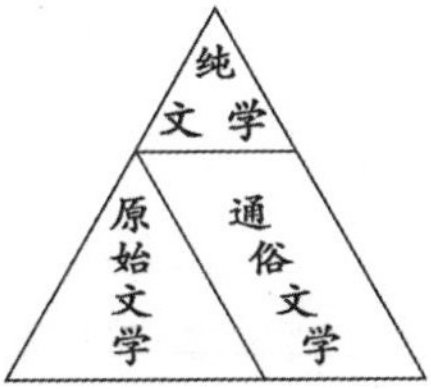

我们现在所偏重的纯粹文学，只是在这山顶上的一小部分。实则文学和政治经济一样，是整个文化的一部分，是一层层累积起来的。我们必须拿它当作文化的一种去研究，必须注意到它的全体，只是山顶上的一部分是不够用的。

图里边的原始文学是指由民间自己创作出来，供他们自己歌咏欣赏的一部分而言，如山歌民谣之类全是。这种东西所用的都是文学上最低级的形式，然而却是后来诗歌的本源。现在，一般研究中国文学或编著中国文学史的，多半是从《诗经》开始，但民间的歌谣是远在《诗经》之前便已产生了，抛开了这一部分而不加注意，则对于文学的来源便将无法说明。

通俗文学是比较原始文学进步一点的。它是受了纯文学的影响，由低级的文人写出来，里边羼杂了很多官僚和士大夫的升官发财的思想进去的，《三国演义》《水浒》《七侠五义》，以及大鼓书曲本之类都是。现在的报纸上也还每天一段段的登载这种东西。它所给予中国社会的影响最大。记得有一位英国学者，曾到希腊去过，回来后他向人说，希腊民间的风俗习惯，还都十分鄙陋，据他看来，在希腊是和不曾生过苏格拉底亚力士多德诸人一样。他们的哲学只有一般研究学问的人们知道，对于一般国民是没有任何影响的。在中国，情形也是这样。影响中国社会的力量最大的，不是孔子和老子，不是纯粹文学，而是道教（不是老庄的道家）和通俗文学。因此，要研究中国文学，更不能置通俗文学于不顾。

所以，照我的意见，今后大家研究文学，应将文学的范围扩大，不要仅仅注意到最高级的一部分，而要注意到它的全体。

（三）研究的对象

研究文学有两条道路可走：

（1）科学的：

a. 文学

b. 文学史

（2）艺术的：

a. 创作

b. 赏鉴

第一种是科学的研究法，是应用心理学或历史等对文学加以剖析的。譬如对于文学的结构，要研究究竟怎么样排列才可使人更受感动，这便是应用心理学的研究法。日本帝国大学教授夏目漱石的《文学论》，现已有人译出了，这本书即是用这样的方法去研究文学的。至于文学史则是以时代的先后为序而研究文学的演变或研究某作家及其作品的。不过，我以为文学史的研究在现今那样办法，即是孤立的、隔离的研究，多少有些不合适：既然文学史所研究的为各时代的文学情况，那便和社会进化史、政治经济思想史等同为文化史的一部分，因而这课程便应以治历史的态度去研究。至于某作家的历史的研究，那便是研究某作家的传记，更是历史方面的事情了。这样地治文学的，实在是一个历史家或社会学家，总之是一个科学家是无疑的了。

第二条路子是艺术的，即由我们自己拿文学当作一件艺术品而去创作它或作为一件艺术品而对它加以赏鉴。

要创作，天才是必要的条件。我们爱好文学，高兴时也可以自己去写一点，无论是诗歌、散文，或是小说。但如觉得自己没有能写得好的才能，即可抛开，这不是可以勉强的事。在学校上课，别的知识技能都可从课堂上学得，惟有创作的才能学不来。按道理讲，在艺术学校里边应该添设文学一科，将如何去创作文学的事正式地加以研究指导。但这实在困难。学作画学过四年之后，提笔便可以作出一幅画了[①]，学文学的创作却不能有如此的成绩。有很多的大作家，都不是因为学习创作而成功的。而且，说也奇怪，好像医学和工学对文学更有特别的帮助一样，很多文学家起始都是学医或学工程的。

契诃夫（Anton P. Chekhov）是学医的，汤姆斯·哈代（Thomas Hardy）是学工的，中国的郭沫若是学医的，成仿吾是学工的。此外，这样的例子还很多。大家也最好不要以创作为专门的事业，应该于创作之外，另有技能，另有职业，这样对文学将更有好处。在很早以前，章太炎先生便作这样的主张，他总是劝人不要依赖学问吃饭，那时是为了反对满清，假如专依学问为生，则只有为满清做官，而那样则必失去研究学问的自由。到现在我觉得这种主张还可适用。单依文学为谋生之具，这样的人如加多起来，势必造成文学的堕落。因为，现在的文学作品，也和工艺出品一样，已经不复是家庭手工业时代，作出东西之后，挂在门口出卖是不成了，必得由资本家的印刷所去印行才可。在这种情形之下，如专依卖文糊口，则一想创作，先须想到这作品的销路，想到出版者欢迎与否，社会上欢迎与否，更须有官厅方面的禁止与否，和其他种种的顾虑，如是便一定会生出文学上的不振作的现象来。一位日本的普罗文学者的领袖，他作过一本《日本普罗文学运动史》，在里边他也说出了同样的意见。因为日本的普罗作家，大半都须出卖稿子于资产阶级的出版家以维持生活，如是，他把最用心的作品，卖给那利用普罗文学以渔利的资本主义的杂志社、书店，更没有力量为自己的杂志上作出好的文章来。其结果，使一个普罗作家的精力消耗不少，而好的普罗文学却终于产生不出来。如果另有专业而不这样的专赖文学为生，则作品的出卖与否没有关系，在创作的时候，自然也就可以免去许多顾虑了。

赏鉴文学，是人人都可以作得到的，并无需乎天才。看见一幅图画，假如那图画画得很好，各种颜色配合适度，即在不会作画的人看来，是也会觉得悦目的。对于文学作品亦复如此。无论作什么事情的人，都同样有欣赏文学的能力。现在研究学问的人，似乎将各种学问分隔得太远了，学文学的每易对科学疏淡，而学科学的则又以为文学书籍只有文科的人才应读。其实是不然的。于此，我要说一说我是怎样和文学发生了关系的，这是我自己走过的道路，说起来觉得切实一点，对大家也许还有些用处。正如走路，要向人说明到某处怎样走法，单是说明路程的方向是不够的，必须亲自走过，知道那路上的各种具体的标识，然后说出来于人才有些帮助。

我本是学海军的，对文学本很少接近的机会，后来，因为热心于民族革命的问题而去听章太炎先生讲学，那时候章先生正鼓吹排满，他讲学也是为此。后来又因留心民族革命文学，便得到和弱小民族的文学接近的机缘。各种作品，如芬兰、波兰、犹太、印度等国的，有些是描写国内的腐败的情形，有些是描写亡国的惨痛的，当时读起来很受到许多影响，因而也很高兴读。后来，不仅对这些弱小国家的发生兴趣，对于强大国家的作品，也很想看一看究竟是什么样子，于是，慢慢就将范围扩大开来了。

只要有机缘有兴趣，学海军的人，对于文学作品也能够阅读赏鉴，从事于别种职业的人，自然更没有不能够的。

（四）研究文学的预备知识

所谓预备知识者，也可以说就是指高级中学内的各种功课而言，我时常听到一般青年朋友说，他是爱好文学的，科学对他没有用处，尤其是数学，格外使人讨厌，将来既是要研究文学，自然可以不必去学这些东西。这实是一种不好的现象，对于训练思想说，科学，连数学在内，是有很大的用处的。现在，要从高中的普通课程中，提出和文学的关系比较密切的几种，向大家一说：

1. 文字学——这是不消说的，研究文学的人，当然先须懂得文字。现在国文系里也都有这种科目，不再多说。

2. 生物学——有人曾问我人生究竟是怎么一回事，我回答说我也说不出，如必欲要我回答这问题，那么，最好你去研究生物学。生物学说明了生物的生活情形，人也是生物之一，人生的根本原则便可从这里去看出来了。文学，和生物学一样，是以人生为对象的东西，所以，这两者的关系特别密切，而研究文学的人，自然也就应当去研究一下生物学了。

3. 历史——历史所记载的是人类过去生活的经验，是现在人类生活的根据。比如文学史，是以前人生行为的表现，在文学上所能看得出的。其他讲政治经济之变迁的，也都有研究的必要，有如人的耳目口鼻，每部分都各有其作用。几年前，郭沫若就主张诗人必须懂得人类学——即社会学，亦即我所说的历史，不过我所说的历史的范围是比较广些。当时很有人以为郭先生的主张奇怪，何以诗人必须懂人类学呢？其实这是很容易知道的：人类学是研究人类形体精神两方面的学问，对于研究文学的人，帮助的确很多。

近来治文学的人，也有应用历史方法的，然而有时又过于机械。近来在某杂志上见到一篇文章，说隋代的中国文学是商业时代的文学。其实，中国的社会，在隋以前和隋以后，并没有多少不同，前后都是手工业时代，没有变化，工业上既没有变化，怎会有了不同的商业时代呢？这是因为没有看清中国和西洋近代的不同，说来便与事实不相符合了。

（五）文学的起源

要说明中国的新文学运动，先须有说明的根据，这便是关于文学起源的问题：

从印度和希腊诸国，都可找出文学起源的说明来，现在单就希腊戏剧的发生说一说，由此一端便可知道其他一切。

大家都知道，文学本是宗教的一部分，只因二者的性质不同，所以到后来又从宗教里分化了出来。宗教和政治组织相同，原为帮助人类去好好地生存的方法之一。如在中国古代的迎春仪式，其最初的目的就是要将春天迎接了来，以利五谷和牲畜的生长。当时是以为若没有这种仪式，则冬天怕将永住不去，而春天也怕永不再来了。在明末刘侗所著《帝京景物略》内，我们可找到对这种仪式很详细的说明，大体是在立春之前一日，扎些春牛芒神之类，去将春神迎接了来。在希腊也如是。时候也是在冬春之交，在迎春的一天，有人化装为春之神，另外有五十个扮演侍从的人。春之神代表善人，先被恶神所害，造成一段悲剧，后又复活过来，这是用以代表春去而又复来的意思。当时扮演春神的人都要身被羊皮，其用意大概在表示易于生长。英文中之 Tragedy（悲剧）原为希腊文中之 Tragoidia，其意义本为羊歌，后来才以此字专作悲剧解释的。

在化装迎春的这一天，有很多很多的国民都去参加，其参加的用意，在最初并不是为看热闹，而是作为举行这仪式的一份子而去的。其后一般国民的文化程度渐高，知道无论迎春与否，春天总是每年都要来的。于是，仪式虽还照旧举行，而参加者的态度却有了变更，不再是去参加仪式，而是作为旁观者去看热闹了。这时候所演的戏剧不只一出，迎春成为最后一幕，主脚也逐渐加多，侍从者从此也变为后场了。更后来将末出取消，单剩前面的几出悲剧，从此，戏剧便从宗教仪式里脱化出来了。

文学和宗教两者的性质之不同，是在于其有无“目的”：宗教仪式都是有目的的，文学则没有。譬如在夏季将要下雨的时候，我们时常因天气的闷热而感到烦躁，常是禁不住地喊道："啊，快下雨吧！"这样是艺术的态度。道士们求雨则有种种仪式，如以击鼓表示打雷，挥黑旗表示刮风，洒水表示下雨等等。他们是想用这种种仪式以促使雨的下降为目的的。《诗序》上说：

> 情动于中而形于言，言之不足，故嗟叹之；嗟叹之不足，故永歌之；永歌之不足，不知手之舞之，足之蹈之也。

我的意见，说来是无异于这几句话的。文学只有感情没有目的。若必谓为是有目的的，那么也单是以"说出"为目的。正如我们在冬时候谈天，常说道："今天真冷！"说这话的用意，当然并不是想向对方借钱去做衣服，而只是很单纯地说出自己的感觉罢了。

我们当作文学看的书籍，宗教家常要用作劝善的工具。我们读《关雎》一诗，只以为是一首新婚时的好诗罢了，在乡下的塾师却以为有天经地义似的道理在内。又如赞美歌在我们桌上是文学，信徒在教堂中念却是宗教了。这些，都是文学和宗教的差异之点，设使没有这种差异，当然也就不会分而为二了。

以后，我便想以此点作为根据，应用这种观点以说明中国新文学运动的情形和意义，它的前因和它的后果。

（六）文学的用处

从前面我所说的许多话中，大家当可看得出来：文学是无用的东西。因为我们所说的文学，只是以达出作者的思想感情为满足的，此外再无目的之可言。里面，没有多大鼓动的力量，也没有教训，只能令人聊以快意。不过，即这使人聊以快意的一点，也可以算作一种用处的：它能使作者胸怀中的不平因写出而得以平息；读者虽得不到什么教训，却也不是没有益处。

关于读者所能得到的益处，可以这样地加以说明——但这也是希腊的亚力士多德很早就在他的《诗学》内主张过的，便是一种祓除作用。

从前的人们都以《水浒》为诲盗的小说，在我们看来正相反，它不但不诲盗，且还能减少社会上很多的危险。每一个被侮辱和被损害者，都想复仇，但等他看过《水浒》之后，便感到痛快，仿佛气已出过，仿佛我们所气恨的人已被梁山泊的英雄打死，因而自己的气愤也就跟着消灭了。《红楼梦》对读者也能发生同等的作用。

一位现还在世的英国思想家，他以为文学是一种精神上的体操。当我们用功的时候，长时间不作筋肉的活动，则筋肉疲倦，必须再去作些运动，将多馀的力量用掉，然后才觉得舒服。文学的作用也是如此。在未开化或半开化的社会里，人们的气愤容易发泄。在文明社会中，则处处设有警察维持秩序，要起诉则又常因法律证据不足而不能，但此种在社会上发泄不出的愤懑，终须有一地方去发泄，在前，各国每年都有一天特许骂人，凡平常所不敢骂的人，在那天也可向之大骂。骂过之后，则愤气自平。现在这种习俗已经没有，但文学的作用却与此相同。这样说则真正文学作品没有不于人有益的，在积极方面没有用处的，在消极方面却有用处。几年前有一位潘君在《幻洲》内曾骂过一般作文章的青年，他的意见是：青年应当将力量蕴蓄起来，等到做起事情来时再使之爆发，若先已借文学将牢骚发泄出去，则心中已经没有气愤，以后如何作得事情。这种说法，在他虽是另有立场，而意见却不错。

有人以为文学还另有积极的用处，因为，若单如上面所说，只有消极的作用，则文学实为不必要的东西。我说：欲使文学有用也可以，但那样已是变相的文学了。椅子原是作为座位用的，墨盒原是为写字用的，然而，以前的议员们岂不是曾在打架时作为武器用过么？在打架的时候，椅子墨盒可以打人，然而打人却终非椅子和墨盒的真正用处。文学亦然。

文学，仿佛只有在社会上失败的弱者才需要，对于际遇好的，或没有不满足的人们，他们任何时任何事既都能随心所欲，文学自然没有必要。而在一般的弱者，在他们的心中感到苦闷，或遇到了人力无能为的生死问题时，则多半用文学把这时的感触发挥出去。凡在另有积极方法可施，还不至于没有办法或不可能时，如政治上的腐败等，当然可去实际地参加政治改革运动，而不必借文学发牢骚了。

【锺校】

①“了”原作“子”。

第二讲　中国文学的变迁

两种潮流的起伏

历代文学的变迁

明末的新文学运动

公安派及其文学主张

竟陵派之继起

公安竟陵两派的结合

上次讲到文学最先是混在宗教之内的，后来因为性质不同分化了出来。分出之后，在文学的领域内马上又有两种不同的潮流：

（甲）诗言志——言志派

（乙）文以载道——载道派

言志之外所以又生出载道派的原因，是因为文学刚从宗教脱出之后，原来的势力尚有一部分保存在文学之内，有些人以为单是言志未免太无聊，于是便主张以文学为工具，再借这工具将另外的更重要的东西——“道”，表现出来。

这两种潮流的起伏，便造成了中国的文学史。我们以这样的观点去看中国的新文学运动，自然也比较容易看得清楚。

中国的文学，在过去所走的并不是一条直路，而是像一道弯曲的河流，从甲处流到乙处，又从乙处流到甲处。遇到一次抵抗，其方向即起一次转变。略如下图：

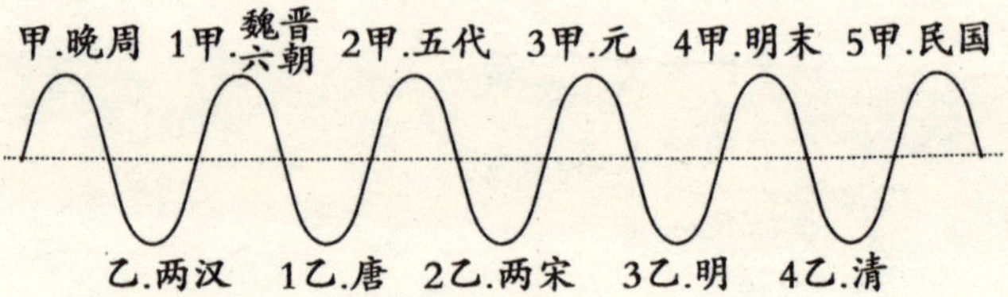

图中的虚线是表示文学上的一直的方向的，但这只是可以空想得出来，而实际上并没有的。

民国以后的新文学运动，有人以为是一件破天荒的事情，胡适之先生在他所著的《白话文学史》中，就以为白话文学是中国文学唯一的目的地，以前的文学也是朝着这个方向走，只因为障碍物太多，直到现在才得走入正轨，而从今以后一定就要这样走下去。这意见我是不大赞同的。照我看来，中国文学始终是两种互相反对的力量起伏着，过去如此，将来也总如此。

要说明这次的新文学运动，必须先看看以前的文学是什么样。现在我想从明末的新文学运动说起，看看那时候是什么情形，中间怎样经过了清代的反动，又怎样对这反动起了反动而产生了最近这次的文学革命运动。更前的在这里只能略一提及，希望大家自己去研究，得以引申或订正我的粗浅的概说。

晚周，由春秋以至战国时代，正是大纷乱的时候，国家不统一，没有强有力的政府，社会上更无道德标准之可言，到处只是乱闹乱杀，因此，文学上也没有统制的力量去拘束它，人人都得自由讲自己愿讲的话，各派思想都能自由发展。这样便造成算是最先的一次诗言志的潮流。

文学方面的兴衰，总和政治情形的好坏相反背着的。西汉时候的政治，在中国历史上总算是比较好些的，然而自董仲舒而后，思想定于一尊，儒家的思想统治了整个的思想界，于是文学也走入了载道的路子。这时候所产生出来的作品，很少作得好的，除了司马迁等少数人外，几乎所有的文章全不及晚周，也不及这时期以后的魏晋。

魏时三国鼎立，晋代也只有很少年岁的统一局面，因而这时候的文学，又重新得到解放，所出的书籍都比较有趣一些。而在汉朝已起头的骈体文，到这时期也更加发达起来。更有趣的是这时候尚清谈的特别风气。后来有很多人以为清谈是晋朝的亡国之因，近来胡适之、顾颉刚诸先生已不以为然，我们也觉得政局的糟糕绝不能归咎于这样的事情。他们在当时清谈些什么，我们虽不能知道，但想来是一定很有趣味的事。《世说新语》是可以代表这时候的时代精神的一部书。另外还有很多的好文章，如六朝时的《洛阳伽蓝记》《水经注》《颜氏家训》等书内都有。《颜氏家训》本不是文学书，其中的文章却写得很好，尤其是颜之推的思想，其明达不但为两汉人所不及，即使他生在现代，也绝不算落伍的人物，对各方面他都具有很真切的了解，没一点固执之处。《水经注》是讲地理的书，而里边的文章也特别好。其他如《六朝文絜》内所有的文章，平心静气地讲，的确都是很好的，即使叫现代的文人写，怕也很难写得那样好。

唐朝，和两汉一样，社会上较统一，文学随又走上载道的路子，因而便没有多少好的作品。这时代的文人，我们可以很武断地拿韩愈作代表。虽然韩愈号称文起八代之衰，六朝的骈文体虽也的确被他打倒了，但他的文章，即使是最有名的《盘谷序》，据我们看来，实在作得不好。仅有的几篇好些的，是在他忘记了载道的时候偶尔写出的，当然不是他的代表作品。

自从韩愈好在文章里面讲道统而后，讲道统的风气遂成为载道派永远去不掉的老毛病。文以载道的口号，虽则是到宋人才提出来的，但那只是承接着韩愈的系统而已。

诗是唐朝新起的东西，诗的体裁也在唐时加多起来，如七言诗、绝句、律诗等都是。但这只是由于当时考诗的缘故。因考诗所以作诗的加多，作品多了自然就有很多的好诗。然而这情形终于和六朝时候的创作情形是不相同的。

唐以后，五代至宋初，通是走着诗言志的道路。词，虽是和乐府的关系很大，但总是这时期新兴的一种东西。在宋初好像还很大胆地走着这条言志的路，到了政局稳定之后，大的潮流便又转入于载道方面。陆放翁、黄山谷、苏东坡诸人对这潮流也不能抵抗，他们所写下的，凡是我们所认为有文学价值的，通是他们暗地里随便一写认为好玩的东西。苏东坡总算是宋朝的大作家，胡适之先生很称许他，明末的公安派对他也捧得特别厉害，但我觉得他绝不是文学运动方面的人物，他的有名，在当时只是因为他反对王安石，因为他在政治方面的反动。（我们看来，王安石的文章和政见，是比较好的，反王派的政治思想实在无可取。）他的作品中的一大部分，都是摹拟古人的。如《三苏策论》里面的文章，大抵都是学韩愈，学古文的。只因他聪明过人，所以学得来还好。另外的一小部分，不是正经文章，只是他随便一写的东西，如书信题跋之类，在他本认为不甚重要，不是想要传留给后人的，因而写的时候，态度便很自然，而他所有的好文章，就全在这一部分里面。从这里可以见出他仍是属于韩愈的系统之下，是载道派的人物。

清末有一位汪瑔批评扬雄，他说扬雄的文章专门摹仿古人，写得都不好。好的，只有《酒箴》一篇。那是因为他写的时候随随便便，没想让它传后之故。这话的确不错。写文章时不摆架子，当可写得十分自然。好像一般官僚，在外边总是摆着官僚架子，在家里则有时讲讲笑话，自然也就显得很真诚了。所以，宋朝也有好文章，却都是在作者忘记摆架子的时候所写的。

元朝有新兴的曲，文学又从旧圈套里解脱了出来。到明朝的前后七子，认为元代以至明初时候的文学没有价值，于是要来复古：不读唐代以后的书籍，不学杜甫以后的诗，作文更必须学周秦诸子。他们的时代是十六世纪的前半：前七子是在弘治年间，为李梦阳、何景明等人；后七子在嘉靖年间，为李攀龙、王世贞等人。他们所生时代虽有先后，其主张复古却是完全一样的。

对于这复古的风气，揭了反叛的旗帜的，是公安派和竟陵派。公安派的主要人物是三袁，即袁宗道、袁宏道、袁中道三人，他们是万历朝的人物，约当西历十六世纪之末至十七世纪之初。因为他们是湖北公安县人，所以有了公安派的名称。他们的主张很简单，可以说和胡适之先生的主张差不多。所不同的，那时是十六世纪，利玛窦还没有来中国，所以缺乏西洋思想。假如从现代胡适之先生的主张里面减去他所受到的西洋的影响，科学、哲学、文学以及思想各方面的，那便是公安派的思想和主张了。而他们对于中国文学变迁的看法，较诸现代谈文学的人或者还更要清楚一点。理论和文章都很对很好，可惜他们的运气不好，到清朝他们的著作便都成为禁书了，他们的运动也给乾嘉学者所打倒了。

“独抒性灵，不拘格套”，这是公安派的主张。在袁中郎（宏道）《叙小修诗》内，他说道：

……其间有佳处，亦有疵处。佳处自不必

言，即疵亦多本色独造语。然予则极喜其疵处，而所谓佳者，尚不能不以粉饰蹈袭为恨，以为未能尽脱近代文人习气故也。

盖诗文至近代而卑极矣。文则必欲准于秦汉，诗则必欲准于盛唐。剿袭模拟，影响步趋。见人有一语不相肖者，则共指以为野狐外道。曾不知文准秦汉矣，秦汉人曷尝字字准六经欤。诗准盛唐矣，盛唐人曷尝字字学汉魏欤。秦汉而学六经，岂复有秦汉之文？盛唐而学汉魏，岂复有盛唐之诗？惟夫代有升降而法不相沿，各极其变，各穷其趣，所以可贵，原不可以优劣论也。

且夫天下之物，孤行则必不可无，必不可无虽欲废焉而不能。雷同则可以不有，可以不有则虽欲存焉而不能。……

这些话，说得都很得要领，也很像近代人所讲的话。

在中郎为江进之的《雪涛阁集》所作序文内，说明了他对于文学变迁的见解：

……夫古有古之时，今有今之时，袭古人语言之迹而冒以为古，是处严冬而袭夏之葛者也。骚之不袭雅也，雅之体穷于怨，不骚不足以寄也。后人有拟而为之者，终不肖也，何也？彼直求骚于骚之中也。至苏李述别，十九等篇，骚之音节体制皆变矣，然不谓之真骚不可也。……

后面，他讲到文章的“法”——即现在之所谓“主义”或“体裁”：

夫法因于敝而成于过者也：矫六朝骈丽饤饾之习者以流丽胜，饤饾者固流丽之因也，然其过在于轻纤，盛唐诸人以阔大矫之；已阔矣又因阔而生莽，是故续盛唐者，以情实矫之；已实矣，又因实而生俚，是故续中唐者以奇僻矫之。然奇则其境必狭，而僻则其务为不以根相胜。故诗之道至晚唐而益小。有宋欧苏辈出，大变晚习，于物无所不收，于法无所不有，于情无所不畅，于境无所不取。滔滔莽莽，有若江河。今之人徒见宋之不法唐，而不知宋因唐而有法者也。

对于文学史这样看法，较诸说“中国文学在过去所走的全非正路，只有现在所走的道路才对”要高明得多。

批评江进之的诗，他用了“信腕信口，皆成律度”八个字。这八个字可说是诗言志派一向的主张，直到现在，还没有比这八个字说得更中肯的，就连胡适之先生的“八不主义”也不及这八个字说的更得要领。

因为他们是反对前后七子的复古运动的，所以他们极力地反对摹仿。在刚才所引中郎的《雪涛阁集》序内，有着这样的话：

> 至以剿袭为复古，句比字拟，务为牵合，弃目前之景，摭腐滥之辞，有才者绌于法而不敢自伸其才，无才者拾一二浮泛之语，帮凑成诗。智者牵于习而愚者乐其易。一倡亿和，优人驺从，共谈雅道。吁，诗至此亦可羞哉！

我们不能拿现在的眼光，批评他的“优人驺从，共谈雅道”为有封建意味，那是时代使然的。他的反对摹仿古人的见解实在很正确。摹仿可不用思想，因而他所说的这种流弊乃是当然的。近来各学校考试，每每以“董仲舒的思想”或“扬雄的思想”等作为国文题目，这也容易发生如袁中郎所说的这种毛病，使得能作文章的作来不得要领，不能作的更感到无处下笔。外国大学的入学试题，多半是“旅行的快乐”一类，而不是“关于莎士比亚的戏曲”一类的。中国，也应改变一下，照我想，如能以太阳或杨柳等作为作文题目，当比较合适一些，因为文学的造诣较深的人，可能作得出好文章来。

伯修（宗道）的见解较中郎稍差一些。在他的《白苏斋集》内的《论文》里边，他也提出了反对学古人的意见：

今之圆领方袍，所以学古人之缀叶蔽皮也。今之五味煎熬，所以学古人之茹毛饮血也。何也？古人之意期于饱口腹蔽形体，今人之意亦期于饱口腹蔽形体，未尝异也。彼摘古人字句入己著作者，是无异缀皮叶于衣袂之中，投毛血于殽核之内也。大抵古人之文专期于达，而今人之文专期于不达。以不达学达，是可谓学古者乎？（《论文》上）

……有一派学问则酿出一种意见，有一种意见，则创出一般言语。言语无意见则虚浮，虚浮则雷同矣。故大喜者必绝倒，大哀者必号痛，大怒者必叫吼动地，发上指冠。惟戏场中人，心中本无可喜而欲强笑，亦无可哀而欲强哭，其势不得不假借模拟耳。今之文士，浮浮泛泛，原不曾的然做一项学问，叩其胸中亦茫然不曾具一丝意见，徒见古人有立言不朽之说，有能诗能文之名，亦欲搦管伸纸，入此行市，连篇累牍，图人称扬。夫以茫昧之胸而妄意鸿巨之裁，自非行乞左马之侧，募缘残溺，盗窃遗矢，安能写满卷帙乎？试将诸公一编，抹去古语陈句，几不免曳白矣。

……然其病源则不在模拟，而在无识。若使胸中的有所见，苞塞于中，将墨不暇研，笔不暇挥，兔起鹘落，犹恐或逸，况有闲力暇晷引用古人词句耶？故学者诚能从学生理，从理生文，虽驱之使模不可得矣。

（《论文》下）

这虽然一半讲笑话，一半挖苦人，其意见却很可取。

从这些文章里面，公安派对文学的主张，已可概见。对他们自己所作的文章，我们也可作一句总括的批评，便是："清新流丽"。他们的诗也都巧妙而易懂。他们不在文章里面摆架子，不讲治国平天下的大道理，只要看过前后七子的假古董，就可很容易看出他们的好处来。

不过，公安派后来的流弊也就因此而生，所作的文章都过于空疏浮滑，清楚而不深厚。好像一个水池，污浊了当然不行，但如清得一眼能看到池底，水草和鱼类一齐可以看清，也觉得没有意思。而公安派后来的毛病即在此。于是竟陵派又起而加以补救。竟陵派的主要人物是钟惺和谭元春，他们的文章很怪，里边有很多奇僻的词句，但其奇僻绝不是在摹仿左马，而只是任着他们自己的意思乱作的，其中有许多很好玩，有些则很难看得懂。另外的人物是倪元璐、刘侗诸人，倪的文章现在较不易看到，刘侗和于奕正合作的《帝京景物略》在现在可算是竟陵派唯一的代表作品，从中可看出竟陵派文学的特别处。

后来公安竟陵两派文学融合起来，产生了清初张岱（宗子）诸人的作品，其中如《琅嬛文集》等，都非常奇妙。《琅嬛文集》现在不易买到，可买到的有《西湖梦寻》和《陶庵梦忆》两书，里边通有些很好的文章。这也可以说是两派结合后的大成绩。

那一次的文学运动，和民国以来的这次文学革命运动，很有些相像的地方。两次的主张和趋势，几乎都很相同。更奇怪的是，有许多作品也都很相似。胡适之、冰心和徐志摩的作品，很像公安派的，清新透明而味道不甚深厚。好像一个水晶球样，虽是晶莹好看，但仔细地看许多时就觉得没有多少意思了。和竟陵派相似的是俞平伯和废名两人，他们的作品有时很难懂，而这难懂却正是他们的好处。

同样用白话写文章，他们所写出来的，却另是一样，不像透明的水晶球，要看懂必须费些功夫才行。然而更奇怪的是俞平伯和废名并不读竟陵派的书籍，他们的相似完全是无意中的巧合。从此，也更可见出明末和现今两次文学运动的趋向是怎样的相同了。

第三讲 清代文学的反动（上）八股文

清代文学总览

八股文的来源

八股文的作法及各种限制

试帖诗和诗钟

八股文所激起的反动

以袁中郎作为代表的公安派，其在文学上的势力，直继续至清朝的康熙时代。集公安竟陵两派之大成的，上次已经说过，是张岱，张岱便是明末清初的人。另外还有金圣叹（喟）、李笠翁（渔）、郑燮、金农、袁枚诸人。金圣叹的思想很好，他的文学批评很有新的意见，这在他所批点的《西厢》《水浒》等书上全可看得出来。他留下来的文章并不多，但从他所作的两篇《水浒传》的序文中，也可以看得出他的主张来的，他能将《水浒》《西厢》和《左传》《史记》同样当作文学书看，不将前者认为诲淫诲盗的东西，这在当时实在是一件很不容易的事。李笠翁所著有《笠翁一家言》，其中对于文学的见解和人生的见解也都很好。他们都是康熙时代的人。其后便成了强弩之末，到袁枚时候，这运动便结束了。

大约从一七〇〇年起始，到一九〇〇年止，在这期间，文学的方向和以前又恰恰相反，但民国以来的文学运动，却又是这反动力量所激起的反动。我们可以这样说：明末的文学，是现在这次文学运动的来源；而清代的文学，则是这次文学运动的原因。不看清楚清代的文学情形，则新文学运动所以起来的原因也将弄不清楚，要说明也便没有依据。我常提议各校国文系的学生，应该研究八股文，也曾作过一篇《论八股文》（见本书附录），说明为什么应该研究它。这项提议，看来似乎是在讲笑话，而其实倒是正经话，是因为八股文和现代文学有着很大的关系之故。

清代的文艺学问情形，在梁任公先生的《清代学术概论》中说得很详尽了，我们不必多说。但今为便利计，姑归纳为下列几种：

一、宋学（也可称哲学或玄学）

二、汉学（包括语言学和历史）

三、文学

（1）明末文学的馀波——至袁枚为止

（2）骈文（文选派）

（3）散文（古文，以桐城派为代表）

四、制艺（八股）

在清代，每个从事于学问的人，总得在这些当中选择一两种去研究。但无论研究哪一种，八股文是人人所必须学的。清代的宋学无可取，汉学和文学没多大关系，文学里明末文学运动的馀波已逐渐衰微下去，而这时期的骈体文也只是剽拟模仿，更不能形成一种力量。馀下的便只有散文和八股了。

关于八股文的各方面，我们所知道的很少，怕不能扼要地讲得出来。可供参考的书籍也很少，能找到的只有梁章钜的《制艺丛话》，在里边可以找到许多很好的材料，此外更无第二部。刘熙载的《艺概》末卷也是讲制艺的，只是所讲全是些空洞的话，并没有具体的例证。但我们对八股文如不晓得是怎么一回事，则对旧文学里面的好些地方全都难以明了，于此，也只得略加说明：

所谓制艺，是指自宋以来考试的文章而言。在唐时考试用诗；宋时改为经义，即从四书或五经内出一题目，由考的人作一段文章，其形式全与散文相同；到明代便有了定型：文章的起首是破题，其次是承题，再次是起讲，后面共有八股，每两股作为一段，此平彼仄，两两相对，成为这样的形式：

甲　乙　丙　丁
甲′　乙′　丙′　丁′

下面再有一段作为结尾。这便是所谓八股文。到明末清初时候，更加多了许多限制，不但有一定的形式，且须有一定的格调。这样，越来便越麻烦了。

现在将清代各种文学，就其在形式和内容两方面的差别，另画作这样的一张表：

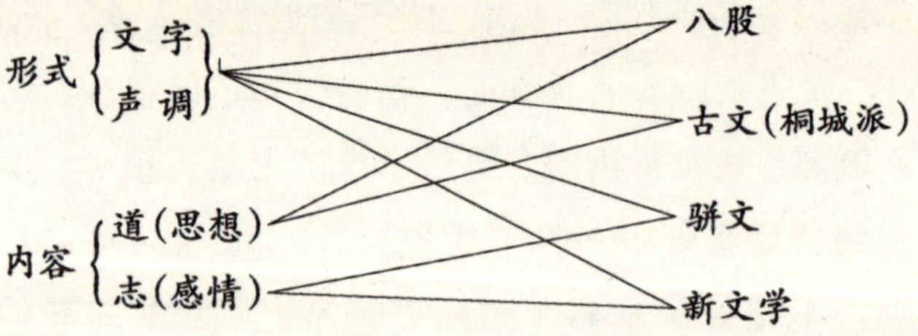

这里边，八股文是以形式为主，而以发挥圣贤之道为内容的。桐城派的古文是以形式和思想平重的。骈文的出发点为感情，而也是稍偏于形式方面。以感情和形式平重的，则是这时期以后的新文学。就中，八股文和桐城派的古文很相近，早也有人说过，桐城派是以散文作八股的。骈文和新文学，同以感情为出发点，所以二者也很相近，其不同处是骈文太趋重于形式方面。后来反对桐城派和八股文，可走的路径，从这表上也可以看得出来，不走向骈文的路便走向新文学的路。而骈文在清代的势力，如前面所说，本极微弱，于是便只有走向新文学这方面了。

为什么会有八股文这东西起来呢？据我想这与汉字是有特别关系的。汉字在世界上算是最特别的一种，它有平仄而且有偏旁，于是便可找些合适的字使之两两互对起来。例如“红花”可用“绿叶”作对，若用“黄叶”或“青枝”等去对，即使小学生也知其不合适，因为“红花”和“绿叶”，不但所代表的颜色和物件正好相对，字的平仄也是正对的，而且“红绿”二字还都带有“纟”旁，其它的“青枝”“黄叶”等便不足这些条件了。

从前有人路过一家养马的门口，见所贴门联的一幅是“左手牵来千里马”，觉得很好，但及至看到下幅，乃是“右手牵来千里驹”，又觉得很不好了。这在卖马的人只是表示他心中的愿望，然而看门联的人则以为应当对得很精巧才成，仿佛“千”定要对“万”或“手”定要对“足”才是。

这样子，由对字而到门联，由门联而到挽联，而到很长的挽联，便和八股文很接近了。

中国打“灯谜”的事也是世界各国所没有的，在中国各地方各界却都很普遍，譬如“人人尽道看花回”，打四书一句：“言游过矣”，又如“传语报平安”打“言不必信”等等，意思尽管是牵强附会，但倒转过来，再变化得较高级一些，便成为八股中破题的把戏，因此，我觉得八股文之所以造成，大部分是由于民间的风气使然，并不是专因为某个皇帝特别提倡的缘故。

关于破题有很多笑话，但虽是笑话，其作法却和正经的破题完全相同。据说有人作文章很快，于是别人出题目要他作，而只许他以四个字作为破题。题目是“君命召不俟驾行矣”，他的破题是“君请，度（踱）之”。又如有人以极通俗的话作破题解释“三十而立”说：“两当十五之年，虽有椅子板凳而不敢坐也。”另外要举一正经的例子：题目是“子曰”，有人的破题是“匹夫而为百世师，一言而为天下法”。这是明代人所作的，那时候这样的破题还可以，到清代则破题的结尾一定要用一虚字才行。

从这些例子看来，便很可以明白，低级的灯谜，和高级的破题，原是同一种道理生出来的。

“破题”之后是“承题”，承题的起首必须得用一“夫”字，例如，要接着前面所举“三十而立”的破题作下去，其承题的起首一定是“夫椅子板凳所以坐者也……”一类的话头。

总之，作文章的人，处处都受有限制，必须得模仿当时圣贤说话的意思，又必须遵守形式方面的种种条规。作一篇文章消磨很多的时间，作成之后却毫没价值。

然而前面所举的还都是些普通的题目，还较为简单易作，其更难的是所谓“截搭题”，即由四书上相邻的两章或两句中，各截取一小部分，凑合而为一个题目。例如从“三十而立，四十而不惑”两句当中，可截取“而立四十”作题。这种题目有很多凑得非常奇怪的，如“活昏”，本是“民非水火不生活”的末一字和“昏夜叩人之门户”的首一字，毫无关系，然而竟凑为一个题目。遇到此类题目，必须用一种所谓“渡法”，将上半截的意思渡到下半截去。在《制艺丛话》中，有一个很巧妙的例子，题目是“以杖叩其胫阙党童子”，这是《原壤夷俟》章的末句和《阙党童子将命》章的前半句，意思当然不相连接，然而有人渡得很妙：

> 一杖而原壤痛，再杖而原壤哭，三杖而原壤死矣，一阵清风而原壤化为阙党童子矣。

作八股文不许连上，不许犯下，不许骂题漏题，这篇文章全没违犯这些规则，而又将题中不相干的两种意思能渡在一起，所以算最好。

八股文中的声调也是一件很主要的成分。这大概是和中国的戏剧有关系的事。中国的歌曲早已失传，或者现在一般妓女所唱的小曲还有些仿佛吧，然而在民间已不通行。大多数国民的娱乐，只是在于戏剧方面。现在各学校所常举行的游艺会欢迎会之类，在馀兴一项内大半都是唱些旧剧，老百姓在种地的时候，或走路害怕的时候，也都好唱几句皮簧之类，由此可见一般人对于戏剧的注意点是在于剧词的腔调方面。当我初到北京时是在光绪三十年顷，在戏院里见有许多当时的王公们，都脸朝侧面而不朝戏台，后来才知道这是因为他们所注意的只是唱者的音调如何，而不在于他们的表演怎样。西皮二簧甚至昆曲的词句，大半都作得不好，不通顺，然而他们是不管那些的，正如我们听西洋戏片，多半是只管音调而不管意思的。这在八股文内，也造成了同样的情形，只要调子好，规矩不错，有时一点意思也没有，都可以的。从下面的两股文章内，便可看出这种毛病来：

天地乃宇宙之乾坤，吾心实中怀之在抱，久矣夫千百年来已非一日矣，溯往事以追维，曷勿考记载而诵诗书之典要。

元后即帝王之天子，苍生乃百姓之黎元，庶

矣哉亿兆民中已非一人矣，思入时而用世，曷勿瞻黻座而登廊庙之朝廷。

这是八股中的两中股，在这两股中，各句子里起首和煞尾的字，其平仄都很对，所以，其中的意思虽是使人莫明其妙，文章也尽管不通，只因调子好，就可算是很好的“中式”文字。

上面所举的各种例子，游戏的地方太多，也许八股文中所有的特别的地方还看不清楚，于此，再举一个正经的例子：

父母惟其疾之忧（章日价）

罔极之深恩未报，而又徒留不肖之肢体，贻父母以半生莫殚之愁。

百年之岁月几何，而忍吾亲以有限之精神，更消磨于生我劬劳之后。

这是八股中的后两股，其声调和句子，作得都很好，文字虽也平常，对题中的意思却发挥得很透澈，所以这算是八股中之最上等的。作不好的即成为前面所举“天地乃宇宙之乾坤”一类的。

我以前在《论八股文》中也曾举例说明过，凡是从前考试落第的人，只须再用功多读，将调子不同的文章，读上一百来篇，好像我们读乐谱样，读到烂熟，再考时就可从中选一合适的调子，将文章填入，自然也就可以成功了。鲁迅在《朝华夕拾》内说到三味书屋里教书的老先生读文时摇头摆脑的神情，是事实，而且很有道理在里边的：假使单是读而不摇头，则文字中的音乐分子便有时领略不出来，等自己作时，也便很难将音调捉摸得好了。

和八股文相连的有试帖诗。唐代的律诗本只八句，共四韵，后来加多为六韵，更后成为八韵。在清朝，考试的人都用作八股文的方法去作诗，于是律诗完全八股化而成为所谓“试帖”。在徐宝善的《壶园试帖》里面，有一首题目为《王猛扪虱》，我们可从中抄出几句作例：

建业蜂屯扰，成都蚁战酣。

中原披褐顾，馀子处裈惭。

汤沐奚烦具。爬搔尽许探。

搜将虮虱细，劘向齿牙甘。

这首诗，因为题目好玩，作者有才能，所以能将王猛的精神，王猛的身分，和那时代的一般情形，都写在里面，而且风趣也很好。不过这也只是一种细工而已，算不得真正文学。

这种诗的作法，是和作诗钟的方法有很大的关系的。诗钟是每两句单独作，譬如清朝道光时代的一位文人秦云，曾以“蜡，芥”为题目，作过这样的两句：

嚼来世事真无味，拾得功名尽有人。

这看来好像很感慨，但这感慨并不是诗人自己的牢骚，而是从题目里面生出来的。诗钟作到这样，算是比较成功的了，但和真文学相去则很远。而所谓试帖诗，从前面的例上可以看出，就是应用这样的方法作成的。即八股文的作法，也和这作诗钟的方法很有关系。

总括起来，八股文和试帖诗都一样，其来源：一为朝廷的考试，一为汉字的特别形状，而另一则为中国的戏剧。其时代可以说自宋朝即已开始，无非到清朝才集其大成罢了。

言志派的文学，可以换一名称，叫做“即兴的文学”，载道派的文学，也可以换一名称，叫做“赋得的文学”。古今来有名的文学作品，通是“即兴文学”。例如《诗经》上没有题目，《庄子》也原无篇名，他们都是先有意思，想到就写下来，写好后再从文字里将题目抽出的。“赋得的文学”是先有题目然后再按题作文。自己想出的题目，作时还比较容易，考试所出的题目便有很多的限制，自己的意见不能说，必须揣摩题目中的意思，如题目是孔子的话，则须跟着题目发挥些圣贤道理，如题目为阳货的话，则又非跟着题目骂孔子不可。正如刘熙载所说的，“未作破题，文章由我，既生破题，我由文章”。只要遵照各种规则，写得精密巧妙，即成为“中式”的文章。其意义之有无，倒可不管。我们现在作文章有如走路，在前作八股文则如走索子。走路时可以随便，而走索子则非按照先生所教的方法不可，否则定要摔下来。不但规矩，八股文的字数也都有一定，在顺治初年，定为四百五十字算满篇，康熙时改为五百五十，后又改为六百。字数在三百以内不及格，若多至六七百以上也同样不及格。总之，这种有定制的文章，使得作者完全失去其自由，妨碍了真正文学的产生，也给了中国社会许多很坏的影响，至今还不能完全去掉。正如吴稚晖所说，土八股虽然没有了，接着又有了洋八股，现在则又有了党八股。譬如现在要考什么，与考的人不必有专门研究，不懂题目也可以按照题目的意思敷衍成一段文章，使之有头尾，这便是作八股文的方法。

规则那样麻烦，流弊那样多，其引起反对乃是当然的。而且不仅在清末，在其先已经就有起而反对的人了。最先的是傅青主（山）和徐灵胎（大椿）二人，他们都是有名的医生，都曾作过骂八股的文字。在徐灵胎的《洄溪道情》里面，有一首曲子叫《时文叹》，其词是：

读书人，最不济。烂时文，烂如泥。国家本为求才计，谁知道变作了欺人计。三句承题，两句破题，摆尾摇头，便是圣门高弟，可知道三通四史是何等文章，汉祖唐宗是那朝皇帝？案头放高头讲章，店里买新科利器。读得来肩背高低，口角嘘唏。甘蔗渣儿嚼了又嚼，有何滋味？辜负光阴，白白昏迷一世！就教他骗得高官，也是百姓朝廷的晦气。

当然这是算不得文学的，但却可以代表当时一部分人的意见，所以也算是一篇与文学史有关系的东西。

清代自洪杨乱后，反对八股文的势力即在发动。到清末，凡是思想清楚些的，都感觉到这个问题。当时，政治方面的人物，都受了维新思想的传染，以为八股文太没用处。研究学问的人则以为八股文太空疏。因而一般以八股文出身的人们，也都起而反对了。力量最大关系最多的，是康有为梁任公诸人。不过那时候所作到的只是在政治方面的成功，只使得考试时不再用八股而用策论罢了。而在社会上的思想方面，文学方面，都还没有多大的改变，直到陈独秀胡适之等人正式地提出了文学革命的口号，而文学运动上才又出现了一支生力军。

现下文学界的人们，很少曾经作过八股文的，因而对于八股文的整个东西，都不甚了然。现在只能将它和新文学运动有关系的地方略略说及，实不容易说得更具体些。整篇的八股文字，如引用起来，太长，太无聊，大家可自己去查查看。以后如有对此感到兴趣的人，可将这东西作一番系统的研究，整理出一个端绪来，则其在中国文学上的价值和关系，自可看得更清楚了。

第四讲　清代文学的反动（下）桐城派古文

桐城派的统系

桐城派的思想和桐城义法

桐城派的演变

桐城派和新文学运动的关系

死去的公安派精神的苏醒

桐城派所激起的反动

如上次所说，在十八九两世纪的中国，文学方面是八股文与桐城派古文的时代。所以能激动起清末和民国初年的文学革命运动，桐城派古文也和八股文有相等的力量在内。

桐城派的首领是方苞和姚鼐，所以称之为桐城派者，是因他们通是安徽桐城县人。关于桐城派的文献可看《方望溪集》和《姚惜抱集》，该派的重要主张和重要文字，通可在这两部书内找到。此外便当可用的还有一本叫做《桐城文派述评》的小书。吴汝纶和严复的文章也可以一看，因为他们是桐城派结尾的人物。另外也还有些人，但并不重要，现在且可不必去看。

桐城派自己所讲的系统是这样子的：

左传——史记——┬——韩　愈——归有光——方苞
　　　　　　　├——柳宗元
　　　　　　　├——欧阳修
　　　　　　　├——三　苏
　　　　　　　├——王安石
　　　　　　　└——曾　巩

从此可以看得出，他们还是承接着唐宋八大家的系统下来的：上承左马，而以唐朝的韩愈为主，将明代的归有光加入，再下来就是方苞。不过在他们和唐宋八大家之间，也有很不相同的地方：唐宋八大家虽主张“文以载道”，但其着重点犹在于古文方面，只不过想将所谓“道”这东西收进文章里去作为内容罢了，所以他们还只是文人。桐城派诸人则不仅是文人，而且也兼作了“道学家”。他们以为韩愈的文章总算可以了，然而他在义理方面的造就却不深；程朱的理学总算可以了，然而他们所做的文章却不好。于是想将这两方面的所长合而为一，因而有“学行继程朱之后，文章在韩欧之间”的志愿。他们以为“文即是道”，二者并不可分离，这样的主张和八股文是很接近的。而且方苞也就是一位很好的八股文作家。

关于清代学术方面的情形，在前我们曾说到过，大体是成这种形势：

一、宋学（哲学或玄学）

二、汉学
- 语言
- 历史

三、文学

1. 明末文学的馀波
2. 骈文（文选派）
3. 散文（古文，以桐城派为代表）

四、制艺

按道理说，桐城派是应归属于文学中之古文方面的，而他们自己却不以为如此。照他们的说法，应该改为这样的情形：

1. 义理——宋学
2. 考据——汉学
3. 词章
   - 诗词
   - 骈文
   - 古文

（以上1—3）桐城派

4. 制艺

他们不自认是文学家，而是集义理、考据、词章三方面之大成的。本来自唐宋八大家主张“文以载道”而后，古文和义理便渐渐离不开，而汉学在清代特占势力，所以他们也自以懂得汉学相标榜。实际上方姚对于考据之学却是所知有限得很。

他们主张“学行继程朱之后”，并不是处处要和程朱一样，而是以为：只要文章作得好，则“道”也即跟着好起来，这便是学行方面的成功。今人赵震大约也是一位桐城派的文人，在他所编的《方姚文》的序文中，曾将这意思说得很明白，他说：

> ……然则古文之应用何在？曰：“将以为为学之具，蕲至乎知言知道之君子而已。”人之为学，大率因文以见道，而能文与不能文者，其感觉之敏钝，领会之多寡，盖相去悬绝矣。……

另外，曾国藩有一段话也能对这意见加以说明，他在《示直隶学子文》内，论及怎样研究学问，曾说道：

> 苟通义理之学，而经济该乎其中矣。……然后求先儒所谓考据者，使吾之所见证诸古制而不谬；然后求所谓词章者，使吾之所获达诸笔札而不差。……

因为曾国藩是一位政治家，觉得单是讲些空洞的道理不够用，所以又添了一种“经济”进去，而主张将四种东西——即义理、考据、词章、经济——打在一起。

从这两段文字中，当可以看得出他们一贯的主张来，即所作虽为词章，所讲乃是义理。因此他们便是多方面的人而不只是文学家了。

以上是桐城派在思想方面的主张。

在文词方面，他们还提出了所谓“桐城义法”。所谓义法，在他们虽看得很重，在我们看来却并不是一种深奥不测的东西，只是一种修词学而已。将他们所说的归并起来，大抵可分为以下两条：

第一，文章必须“有关圣道”——方苞说：“非阐道翼教，有关人伦风化不苟作。”姚鼐也说过同样的话，以为如“不能发明经义不可轻述”。所以凡是文章必须要“明道义，维风俗”。其实，这也和韩愈等人文以载道的主张一样，并没有更高明的道理在内。

此外他们所提出的几点，如文章要学左史，要以韩欧为法，都很琐碎而没有条理。比较可作代表的是沈廷芳《书方望溪先生传后》中的一段话：

……南宋元明以来，古文义法不讲久矣。吴越间遗老尤放恣：或杂小说，或沿翰林旧体，无雅洁者。古文中不可录：语录中语，魏晋六朝人藻丽俳语，汉赋中板重字法，诗歌中隽语，南北史佻巧语。

将其中的意见归纳起来，也可勉强算作他们的义法之一，便是：

第二，文要雅正。

另外还有一种莫明其妙的东西，为现在的桐城派文人也说不明白的，是他们主张文章内要有“神理气味，格律声色”八种东西。姚鼐《古文辞类纂[①]序目》：

凡文之体类十三，而所以为文者八：曰“神理气味，格律声色”。神理气味者文之精也，格律声色者文之粗也。……

“理”是义理，即我们之所谓“道”；“声”是节奏，是文章中的音乐分子；“色”是色采，是文章的美丽。这些，我们还可以懂得。但神、气、味、律等，意义就十分渺茫，使人很难领会得出。林纾的《春觉斋论文》，可说是一本桐城派作文的经验谈，而对于这几种东西，也没有说得清楚。

不管他们的主张如何，他们所作出的东西，也仍是唐宋八大家的古文。并且，越是按照他们的主张作出的，越是作得不好。《方姚文》中所选的一些，是他们自己认为最好，可以算作代表作的，但其好处何在，我们却看不出来。不过，和明代前后七子的假古董相比，我以为桐城派倒有可取处的。至少他们的文章比较那些假古董为通顺，有几篇还带些文学意味。而且平淡简单，含蓄而有馀味，在这些地方，桐城派的文章，有时比唐宋八大家的还好。虽是如此，我们对他们的思想和所谓“义法”，却始终是不能赞成，而他们的文章统系也终和八股文最相近。

假如说姚鼐是桐城派定鼎的皇帝，那么曾国藩可说是桐城派中兴的明主。在大体上，虽则曾国藩还是依据着桐城派的纲领，但他又加添了政治经济两类进去，而且对孔孟的观点，对文章的观点，也都较为进步。姚鼐的《古文辞类纂》和曾国藩的《经史百家杂钞》二者有极大的不同之点：姚鼐不以经书作文学看，所以《古文辞类纂》内没有经书上的文字；曾国藩则将经中文字选入《经史百家杂钞》之内，他已将经书当作文学看了。所以，虽则曾国藩不及金圣叹大胆，而因为他较为开通，对文学较多了解，桐城派的思想到他便已改了模样。其后，到吴汝纶、严复、林纾诸人起来，一方面介绍西洋文学，一方面介绍科学思想，于是经曾国藩放大范围后的桐城派，慢慢便与新要兴起的文学接近起来了。后来参加新文学运动的，如胡适之、陈独秀、梁任公诸人，都受过他们的影响很大。所以我们可以说，今次文学运动的开端，实际还是被桐城派中的人物引起来的。

但他们所以跟不上潮流，所以在新文学运动正式作起时，又都退缩回去而变为反动势力者，是因为他们介绍新思想的观念根本错误之故。在严译的《天演论》内，有吴汝纶所作的一篇很奇怪的序文，他不看重天演的思想，他以为西洋的赫胥黎未必及得中国的周秦诸子，只因严复用周秦诸子的笔法译出，因文近乎“道”，所以思想也就近乎“道”了。如此，《天演论》是因为译文而才有了价值。这便是当时所谓“老新党”的看法。

林纾译小说的功劳算最大，时间也最早，但其态度也非常之不正确。他译司各特（Scott）狄更司（Dickens）诸人的作品，其理由不是因为他们的小说有价值，而是因为他们的笔法有些地方和太史公相像，有些地方和韩愈相像，太史公的《史记》和韩愈的文章既都有价值，所以他们的也都有价值了。这样，他的译述工作，虽则一方面打破了中国人的西洋无学问的旧见，一方面也可打破了桐城派的“古文之体忌小说”的主张，而其根本思想却仍是和新文学不相同的。

他们的基本观念是“载道”，新文学的基本观念是“言志”，二者根本上是立于反对地位的。所以，虽则接近了一次，而终于不能调和。于是，在袁世凯作皇帝时，严复成为筹安会的六君子之一，后来写信给人也很带复辟党人气味；而林纾在民国七八年时，也一变而为反对文学革命运动的主要人物了。

另外和新文学运动有关系的是汉学家。汉学家和新文学本很少发生关系的可能，但他们和明末的文学却有关系。如我们前次所讲，明末的新文学运动一直继续到清代初年。在历史上可以明明白白看出来的，是汉学家章实斋在《文史通义》内《妇学》一篇中大骂袁枚，到这时公安竟陵两派的文学便告了结束。然而最奇怪的事情是他们在汉学家的手里死去，后来却又在汉学家的手里复活了过来。在晚清，也是一位汉学家，俞曲园（樾）先生，他研究汉学也兼弄词章——虽则他这方面的成绩并不好。在他的《春在堂全集》中，有许多游戏小品，《小浮梅闲话》则全是讲小说的文字，这是在同时代的别人的集子中所没有的。他的态度和清初的李笠翁、金圣叹差不多，也是将小说当作文学看。当时有一位白玉昆作过一部《三侠五义》，他竟加以修改，改为《七侠五义》而刻印了出来，这更是一件像金圣叹所作的事情。在一篇《曲园戏墨》中，他将许多字作成种种形像，如将“曲园拜上”四字画作一个人跪拜的姿势等，这又大似李笠翁《闲情偶寄》中的风趣了。所以他是以一个汉学家而走向公安派竟陵派的路子的。

从这里我们可以看出，在清代晚年已经有对于八股文和桐城派的反动倾向了。只是那时候的几个人，都是在无意识中作着这件工作。来到民国，胡适之、陈独秀、梁任公诸人，才很明了地意识到这件事而正式提出文学革命的旗帜来。在《北斗》杂志上载有鲁迅一句话：“由革命文学到遵命文学”，意思是：以前是谈革命文学，以后怕要成为遵命文学了。这句话说得颇对，我认为凡是载道的文学，都得算作遵命文学，无论其为清代的八股，或桐城派的文章，通是。对这种遵命文学所起的反动，当然是不遵命的革命文学。于是产生了胡适之的所谓“八不主义”，也即是公安派的所谓“独抒性灵，不拘格套”和“信腕信口，皆成律度”的主张的复活。所以，今次的文学运动，和明末的一次，其根本方向是相同的。其差异点无非因为中间隔了几百年的时光，以前公安派的思想是儒家思想、道家思想加外来的佛教思想三者的混合物，而现在的思想则又于此三者之外，更加多一种新近输入的科学思想罢了。

【锺校】

①“类纂”原均作“汇纂”。

第五讲　文学革命运动

清末政治的变动所给予文学的影响

梁任公和文学改革的关系

白话作品的出现

《新青年》杂志的刊行和文学革命问题的提出

旧势力的恐怖和挣扎

文学革命运动和明末新文学运动根本精神之所以相同

用白话的理由

清末文学方面的情形，就是前两次所讲到的那样子，现在再加一总括的叙述：

第一，八股文在政治方面已被打倒，考试时已经不再作八股文而改作策论了。其在社会方面，影响却依旧很大，甚至，直到现在还没有完全消失。

第二，在乾隆嘉庆两朝达到全盛时期的汉学，到清末的俞曲园也起了变化，他不但弄词章，而且弄小说，而且在《春在堂全集》中的文字，有的像李笠翁，有的像金圣叹，有的像郑板桥和袁子才。于是，被章实斋骂倒的公安派，又得以复活在汉学家的手里。

第三，主张文道混合的桐城派，这时也起了变化，严复出而译述西洋的科学和哲学方面的著作，林纾则译述文学方面的。虽则严复的译文被章太炎先生骂为有八股调；林纾译述的动机是在于西洋文学有时和《左传》《史记》中的笔法相合；然而在其思想和态度方面，总已有了不少的改变。

第四，这时候的民间小说，比较低级的东西，也在照旧发达。其作品有《孽海花》等。

受了桐城派的影响，在这变动局面中演了一个主要角色的是梁任公。他是一位研究经学而在文章方面是喜欢桐城派的。当时他所主编的刊物，先后有《时务报》《新民丛报》《清议报》和《新小说》等等，在那时的影响都很大。不过，他是从政治方面起来的，他所最注意的是政治的改革，因而他和文学运动的关系也较为异样。

自从甲午年（1894）中国败于日本之后，中间经过了戊戌政变（1898），以至于庚子年的八国联军

（1900），这几年间是清代政治上起大变动的开始时期。梁任公是戊戌政变的主要人物，他从事于政治的改革运动，也注意到思想和文学方面。在《新民丛报》内有很多的文学作品。不过那些作品都不是正路的文学，而是来自偏路的，和林纾所译的小说不同。他是想借文学的感化力作手段，而达到其改良中国政治和中国社会的目的的。这意见，在他的一篇很有名的文章《论小说与群治之关系》中可以看出。因此他所刊载的小说多是些“政治小说”，如讲匈牙利和希腊的政治改革的小说《经国美谈》等是。《新小说》内所登载的，比较价值大些，但也都是以改良社会为目标的，如科学小说《海底旅行》，政治小说《新罗马传奇》《新中国未来记》和其它的侦探小说之类。这是他在文学运动以前的工作。

梁任公的文章是融和了唐宋八大家、桐城派和李笠翁、金圣叹为一起，而又从中翻陈出新的。这也可算他的特别工作之一。在我年小时候，也受了他的非常大的影响，读他的《饮冰室文集》《自由书》《中国魂》等书，都非常有兴趣。他的文章，如他自己在《清代学术概论》中所讲，是“笔锋常带情感”，因而影响社会的力量更加大。

他曾作过一篇《罗兰夫人传》。在那篇传文中，他将法国革命后欧洲所起的大变化，都归功于罗兰夫人身上。其中有几句是：

罗兰夫人何人也？彼拿破仑之母也，彼梅特涅之母也。

彼玛志黎、噶苏士、俾士麦、加富尔之母也。……

因这几句话，竟使后来一位投考的人，在论到拿破仑时颇惊异于拿破仑和梅特涅既属一母所生之兄弟何以又有那样不同的性格。从这段笑话中，也可见得他给予社会上的影响是如何之大了。

就这样，他以改革政治改革社会为目的，而影响所及，也给予文学革命运动以很大的助力。

在这时候，曾有一种白话文字出现，如《白话报》《白话丛书》等，不过和现在的白话文不同，那不是白话文学，而只是因为想要变法，要使一般国民都认识些文字，看看报纸，对国家政治都可明了一点，所以认为用白话写文章可得到较大的效力。因此，我以为那时候的白话和现在的白话文有两点不同：

第一，现在的白话文，是“话怎样说便怎样写”，那时候却是由八股翻白话。有一本《女诫注释》，是那时候的《白话丛书》之一，序文的起头是这样：

> 梅侣做成了《女诫》的注释，请吴芙做序，吴芙就提起笔来写道，从古以来，女人有名气的极多，要算曹大家第一，曹大家是女人当中的孔夫子，《女诫》是女人最要紧念的书。……

又后序云：

> 华留芳女史看完了裘梅侣做的曹大家《女诫》注释，叹一口气说道，唉，我如今想起中国的女子，真没有再比他可怜的了。……

这仍然是古文里的格调，可见那时的白话，是作者用古文想出之后，又翻作白话写出来的。

第二，是态度的不同——现在我们作文的态度是一元的，就是：无论对什么人，作什么事，无论是著书或随便的写一张字条儿，一律都用白话。而以前的态度则是二元的：不是凡文字都用白话写，只是为一般没有学识的平民和工人才写白话的。因为那时候的目的是改造政治，如一切东西都用古文，则一般人对报纸仍看不懂，对政府的命令也仍将不知是怎么一回事，所以只好用白话。但如写正经的文章或著书时，当然还是作古文的。因而我们可以说，在那时候，古文是为“老爷”用的，白话是为“听差”用的。

总之，那时候的白话，是出自政治方面的需求，只是戊戌政变的馀波之一，和后来的白话文可说是没有多大关系的。

不过那时候的白话作品，也给了我们一种好处：使我们看出了古文之无聊。同样的东西，若用古文写，因其形式可作掩饰，还不易看清它的缺陷，但用白话一写，即显得空空洞洞没有内容了。

这样看来，自甲午战后，不但中国的政治上发生了极大的变动，即在文学方面，也正在时时动摇，处处变化，正好像是上一个时代的结尾，下一个时代的开端。新的时代所以还不能即时产生者，则是如《三国演义》上所说的“万事齐备，只欠东风”。

所谓“东风”在这里却正应改作“西风”，即是西洋的科学、哲学和文学各方面的思想。到民国初年，那些东西已渐渐输入得很多，于是而文学革命的主张便正式地提出来了。

民国四五年间，有一种《青年杂志》发行出来，编辑者为陈独秀，这杂志的性质是和后来商务印书馆的《学生杂志》差不多的，后来，又改名为《新青年》。及至蔡孑民作了北大校长，他请陈独秀作了文科学长，但《新青年》杂志仍由陈编辑，这是民国六年的事。其时胡适之尚在美国，他由美国向《新青年》投稿，便提出了文学革命的意见。但那时的意见还很简单，只是想将文体改变一下，不用文言而用白话，别的再没有高深的道理。当时他们的文章也还都是用文言作的。其后钱玄同刘半农参加进去，“文学运动”“白话文学”等等旗帜口号才明显地提了出来。接着又有了胡适之的“八不主义”，也即是复活了明末公安派的“独抒性灵，不拘格套”和“信腕信口，皆成律度”的主张。只不过又加多了西洋的科学哲学各方面的思想，遂使两次运动多少有些不同了，而在根本方向上，则仍无多大差异处——这是我们已经屡次讲到的了。

对此次文学革命运动起而反对的，是前次已经讲过的严复和林纾等人。西洋的科学哲学和文学，本是由于他们的介绍才得输入中国的，而参加文学革命运动的人们，也大都受过他们的影响。当时林译的小说，由最早的《茶花女遗事》到后来的《十字军英雄记》和《黑太子南征录》，我就没有不读过的。那么，他们为什么又反动起来呢？那是他们有载道的观念之故。严林都十分聪明，他们看出了文学运动的危险将不限于文学方面的改革，其结果势非使儒教思想根本动摇不可。所以怕极了便出而反对。林纾有一封很长的信，致蔡孑民先生，登在当时的《公言报》上，在那封信上他说明了这次文学运动将使中国人不能读中国古书，将使中国的伦常道德一齐动摇等危险，而为之担忧。

关于这次运动的情形，没有详细讲述的必要，大家翻看一下《独秀文存》和《胡适文存》，便可看得出他们所主张的是什么。钱玄同和刘半农先生的文章没有收集印行，但在《新文学评论》（王世栋编，新文化书社出版）内可以找到，这是最便当的一部书，所有当时关于文学革命这问题的重要文章，主张改革和反对改革的两方面的论战文字，通都收进里面去了。

我已屡次地说过，今次的文学运动，其根本方向和明末的文学运动完全相同，对此，我觉得还须加以解释：

有人疑惑：今次的文学革命运动者主张用白话，明末的文学运动者并没有如此的主张，他们的文章依旧是用古文写作，何以二者会相同呢？我以为：现在的用白话的主张也只是从明末诸人的主张内生出来的。这意见和胡适之先生的有些不同。胡先生以为所以要用白话的理由是：

（1）文学向来是向着白话的路子走的，只因有许多障碍，所以直到现在才入了正轨，以后即永远如此。

（2）古文是死文字，白话是活的。

对于他的理由中的第（1）项，在第二讲中我已经说过：我的意见是以为中国的文学一向并没有一定的目标和方向，有如一条河，只要遇到阻力，其水流的方向即起变化，再遇到即再变。所以，如有人以为“诗言志”太无聊，则文学即转入“载道”的路，如再有人以为“载道”太无聊，则即再转而入于“言志”的路。现在虽是白话，虽是走着“言志”的路子，以后也仍然要有变化，虽则未必再变得如唐宋八家或桐城派相同，却许是必得对于人生和社会有好处的才行，而这样则又是“载道”的了。

对于其理由中的第（2）项，我以为古文和白话并没有严格的界限，因此死活也难分。几年前，曾有过一桩笑话：那时章士钊以为古文比白话文好，于是以“二桃杀三士”为例，他说这句话要用白话写出则必变为“两个桃子，害死了三个读书人”，岂不太麻烦么？在这里，首先他是将“三士”讲错了：“二桃杀三士”为诸葛亮《梁父吟》中的一句，其来源是《晏子春秋》里边所讲的一段故事，三士所指原系三位游侠之士，并非“三个读书人”。其次，我以为这句话就是白话而不是古文。例如在我们讲话时说“二桃”就可以，不一定要说“两个桃子”，“三士”亦然。杀字更不能说是古文。现在所作的白话文内，除了“呢”“吧”“么”等字比较新一些外，其馀的几乎都是古字，如“月”字从甲骨文字时代就有，算是一个极古的字了，然而它却的确没有死。再如“粤若稽古帝尧”一句，可以算是一句死的古文了，但其死只是由于字的排列法是古的，而不能说是由于这几个字是古字的缘故，现在，这句子中的几个字，还都时常被我们应用，那么，怎能算是死文字呢？所以文字的死活只因它的排列法而不同，其古与不古，死与活，在文字的本身并没有明了的界限。即在胡适之先生，他从唐代的诗中提出一部份认为是白话文学，而其取舍却也没有很分明的一条线。即此可知古文白话很难分，其死活更难定。因此，我以为现在用白话，并不是因为古文是死的，而是尚有另外的理由在：

（1）因为要言志，所以用白话。——我们写文章是想将我们的思想和感情表达出来的，能够将思想和感情多写出一分，文章的艺术分子即加增一分，写出得愈多便愈好。这和政治家外交官的谈话不同，他们的谈话是以不发表意见为目的的，总是愈说愈令人有莫知究竟之感。我们既然想把思想和感情尽可能地多写出来，则其最好的办法是如胡适之先生所说的，“话怎么说，就怎么写”，必如此，才可以“不拘格套”，才可以“独抒性灵”。比如，有朋友在上海生病，我们得到他生病的电报之后，赶即到东车站搭车到天津，又改乘轮船南下，第三天便抵上海。我们若用白话将这件事如实地记载出来，则可以看得出这是用最快的走法前去。从这里，我们和那位朋友间的密切关系，也自然可以看得出来。若用古文记载，势将怎么也说不对："得到电报"一句，用周秦诸子或桐城派的写法都写不出来，因"电报"二字找不到古文来代替，若说接到"信"，则给人的印象很小，显不出这事情的紧要来。"东车站"也没有适当的古文可以代替，若用"东驿"，意思便不一样，因当时驿站间的交通是用驿马。"火车""轮船"等等名词也都如此。所以，对于这件事情的叙述，应用古雅的文字不但达不出真切的意思，而且在时间方面也将弄得不与事实相符。又如现在的"大学"若写作古代的"成均"和"国子监"，则其所给予人的印象也一定不对。从这些简单的事情上，即可知道想要表达现在的思想感情，古文是不中用的。

我们都知道，作战的目的是要消灭敌人而不要为敌人所消灭，因此，选用效力最大的武器是必须的：用刀棍不及用弓箭，用弓箭不及用枪炮，只有射击力最大的才最好，所以现在都用大炮而不用刀剑。不过万一有人还能以青龙偃月刀与机关枪相敌，能够以青龙偃月刀发生比机关枪更大的效力，这当然是不可能的事了，但万一有人能够作到呢，则青龙偃月刀在现在也仍不妨一用的。文学上的古文也如此，现在并非一定不准用古文，如有人能用古文很明了地写出他的思想和感情，较诸用白话文字还能表现得更多更好，则也大可不必用白话的，然而谁敢说他能够这样做呢？

传达思想和感情的方法很多，用语言，用颜色，用音乐或文字都可以，本无任何限制。我自己是不懂音乐的，但据我想来，对于传达思想和感情，也许那是一种最便当，效力最大的东西吧，用言语传达就比较难，用文字写出更难。譬如我们有时候非常高兴，高兴的原因却有很多：有时因为考试成绩好，有时因为发了财，有时又因为恋爱的成功等等，假如对这种种事件都只用“高兴”的字样去形容，则各种高兴间不同的情形便表示不出，这样便是不得要领。所以，将我们的思想感情用文字照原样完全描绘出来，是一件很不容易的事。既很不容易而到底还想将它们的原面目尽量地保存在文字当中，结果遂不能不用最近于语言的白话。这是现在所以用白话的主要原因之一，而和明末“信腕信口”的主张，原也是同一纲领——同是从“言志”的主张中生出来的必然结果。唯在明末还没想到用白话，所以只能就文言中的可能以表达其思想感情而已。

向来还有一种误解，以为写古文难，写白话容易。据我的经验说却不如是：写古文较之写白话容易得多，而写白话则有时实是自讨苦吃。我常说，如有人想跟我学作白话文，一两年内实难保其必有成绩；如学古文，则一百天的功夫定可使他学好。因为教古文，只须从古文中选出百来篇形式不同格调不同的作为标本，让学生去熟读即可。有如学唱歌，只须多记住几种曲谱：如国歌、进行曲之类，以后即可按谱填词。文章读得多了，等作文时即可找一篇格调相合的套上，如作寿序作祭文等，通可用这种办法。古人的文字是三段，我们也作三段，五段则也五段。这样则教者只对学者加以监督，使学者去读去套，另外并不须再教什么。这种办法，并非我自己想出的，以前作古文的人们，的确就是应用这办法的，清末文人也曾公然地这样主张过，但难处是：譬如要作一篇祭文，想将死者全生平的历史都写进去，有时则限于古人文字中的段落太少而不能做到，那时候便不得不削足以适履了。古文之容易在此，其毛病亦在此。

白话文的难处，是必须有感情或思想作内容，古文中可以没有这东西，而白话文缺少了内容便作不成。白话文有如口袋，装进什么东西去都可以，但不能任何东西不装。而且无论装进什么，原物的形状都可以显现得出来。古文有如一只箱子，只能装方的东西，圆东西则盛不下，而最好还是让它空着，任何东西都不装。大抵在无话可讲而又非讲不可时，古文是最有用的。譬如远道接得一位亲属写来的信，觉得对他讲什么都不好，然而又必须回覆他，在这样的时候，若写白话，简单的几句便可完事，当然是不相宜的，若用古文，则可以套用旧调，虽则空洞无物，但八行书准可写满。

（2）因为思想上有了很大的变动，所以须用白话。——假如思想还和以前相同，则可仍用古文写作，文章的形式是没有改革的必要的。现在呢，由于西洋思想的输入，人们对于政治、经济、道德等的观念，和对于人生、社会的见解，都和从前不同了。应用这新的观点去观察一切，遂对一切问题又都有了新的意见要说要写。然而旧的皮囊盛不下新的东西，新的思想必须用新的文体以传达出来，因而便非用白话不可了。

现在有许多文人，如俞平伯先生，其所作的文章虽用白话，但乍看来其形式很平常，其态度也和旧时文人差不多，然在根柢上，他和旧时的文人却绝不相同。他已受过了西洋思想的陶冶，受过了科学的洗礼，所以他对于生死，对于父子、夫妇等问题的意见，都异于从前很多。在民国以前的人们，甚至于现在的戴季陶张继等人，他们的思想和见地，都不和我们相同，按张戴的思想讲，他们还都是庚子以前的人物，现在的青年，都懂得了进化论，习过了生物学，受过了科学的训练，所以尽管写些关于花木、山水、吃酒一类的东西，题目和从前相似，而内容则前后绝不相同了。

附录一：论八股文

我查考中国许多大学的国文系的课程，看出一个同样的极大的缺陷，便是没有正式的八股文的讲义。我曾经对好几个朋友提议过，大学里——至少是北京大学应该正式地“读经”，把儒教的重要的经典，例如《易》《诗》《书》，一部部地来讲读，照在现代科学知识的日光里，用言语历史学来解释它的意义，用“社会人类学”来阐明它的本相，看它到底是什么东西，此其一。在现今大家高呼伦理化的时代，固然也未必会有人胆敢出来提倡打倒圣经，即使当日真有“废孔子庙罢其祀”的呼声，他们如没有先去好好地读一番经，那么也还是白呼的。我的第二个提议即是应该大讲其八股，因为八股是中国文学史上承先启后的一个大关键，假如想要研究或了解本国文学而不先明白八股文这东西，结果将一无所得，既不能通旧的传统之极致，亦遂不能知新的反动之起源。所以，除在文学史大纲上公平地讲过之外，在本科二三年应礼聘专家讲授八股文，每周至少二小时，定为必修科，凡此课考试不及格者不得毕业。这在我是十二分地诚实的提议，但是，呜呼哀哉，朋友们似乎也以为我是以讽刺为业，都认作一种玩笑的话，没有一个肯接受这个条陈。固然，人选困难的确也是一个重要的原因，精通八股的人现在已经不大多了，这些人又未必都适于或肯教，只有夏曾佑先生听说曾有此意，然而可惜这位先觉早已归了道山了。

八股文的价值却决不因这些事情而跌落。它永久是中国文学——不，简直可以大胆一点说中国文化的结晶，无论现在有没有人承认这个事实，这总是不可遮掩的明白的事实。八股算是已经死了，不过，它正如童话里的妖怪，被英雄剁做几块，它老人家整个是不活了，那一块一块的却都活着，从那妖形妖势上面看来，可以证明老妖的不死。我们先从汉字看起。汉字这东西与天下的一切文字不同，连日本朝鲜在内：它有所谓六书，所以有象形会意，有偏旁；有所谓四声，所以有平仄。从这里，必然地生出好些文章上的把戏。有如对联，“云中雁”对“鸟枪打”这种对法，西洋人大抵还能了解，至于红可以对绿而不可以对黄，则非黄帝子孙恐怕难以懂得了。有如灯谜，诗钟。再上去，有如律诗，骈文，已由文字的游戏而进于正宗的文学。自韩退之文起八代之衰，化骈为散之后，骈文似乎已交末运，然而不然：八股文生于宋，至明而少长，至清而大成，实行散文的骈文化，结果造成一种比六朝的骈文还要圆熟的散文诗，真令人有观止之叹。而且破题的作法差不多就是灯谜，至于有些“无情搭”显然须应用诗钟的手法才能奏效。所以八股不但是集合古今骈散的菁华，凡是从汉字的特别性质演出的一切微妙的游艺也都包括在内，所以我们说它是中国文学的结晶，实在是没有一丝一毫的虚价。民国初年的文学革命，据我的解释，也原是对于八股文化的一个反动，世上许多褒贬都不免有点误解，假如想了解这个运动的意义而不先明了八股是什么东西，那犹如不知道清朝历史的人想懂辛亥革命的意义，完全是不可能的了。

其次，我们来看一看八股里的音乐的分子。不幸我于音乐是绝对的门外汉，就是顶好的音乐，我听了也只是不讨厌罢了，全然不懂它的好处在哪里，但是我知道，中国国民酷好音乐，八股文里含有重量的音乐分子，知道了这两点，在现今的谈论里也就勉强可以对付了。我常想中国人是音乐的国民，虽然这些音乐在我个人偏偏是不甚喜欢的。中国人的戏迷是实在的事，他们不但在戏园子里迷，就是平常一个人走夜路，觉得有点害怕，或是闲着无事的时候，便不知不觉高声朗诵出来，是《空城计》的一节呢，还是《四郎探母》，因为是外行我不知道，但总之是唱着什么就是。昆曲的句子已经不大高明，皮黄更是不行，几乎是“八部书外”的东西，然而中国的士大夫也乐此不疲，虽然他们如默读脚本，也一定要大叫不通不止，等到在台上一发声，把这些不通的话拉长了，加上丝弦家伙，他们便觉得滋滋有味，颠头摇腿，至于忘形：我想，这未必是中国的歌唱特别微妙，实在只是中国人特别嗜好节调罢。从这里我就联想到中国人的读诗，读古文，尤其是读八股的上面去。他们读这些文章时的那副情形大家想必还记得，摇头摆脑，简直和听梅畹华先生唱戏时差不多，有人见了要诧异地问，哼一篇烂如泥的烂时文，何至于如此快乐呢？我知道，他是麻醉于音乐里哩。他读到这一出股：“天地乃宇宙之乾坤，吾心实中怀之在抱，久矣夫千百年来已非一日矣，溯往事以追维，曷勿考记载而诵诗书之典要。”耳朵里只听得自己的琅琅的音调，便有如置身戏馆，完全忘记了这些狗屁不通的文句，只是在抑扬顿挫的歌声中间三魂渺渺七魄茫茫地陶醉着了。（说到陶醉，我很怀疑这与抽大烟的快乐有点相近，只可惜现在还没有充分的材料可以证明。）再从反面说来，做八股文的方法也纯粹是音乐的。它的第一步自然是认题，用做灯谜诗钟以及喜庆对联等法，检点应用的材料，随后是选谱，即选定合宜的套数，按谱填词，这是极重要的一点。从前有一个族叔，文理清通，而屡试不售，遂发愤用功，每晚坐高楼上朗读文章（《小题正鹄》?），半年后应府县考皆列前茅，次年春间即进了秀才。这个很好的例可以证明八股是文义轻而声调重，做文的秘诀是熟记好些名家旧谱，临时照填，且填且歌，跟了上句的气势，下句的调子自然出来，把适宜的平仄字填上去，便可成为上好时文了。中国人无论写什么都要一面吟哦着，也是这个缘故，虽然所做的不是八股。读书时也是如此，甚至读家信或报章也非朗诵不可，于此更可以想见这种情形之普遍了。

其次，我们再来一谈中国的奴隶性罢。几千年来的专制养成很顽固的服从与模仿根性，结果是弄得自己没有思想，没有话说，非等候上头的吩咐不能有所行动，这是一般的现象，而八股文就是这个现象的代表。前清末年有过一个笑话，有洋人到总理衙门去，出来了七八个红顶花翎的大官，大家没有话可讲，洋人开言道“今天天气好”，首席的大声答道“好”，其馀的红顶花翎接连地大声答道好好好……，其声如狗叫云。这个把戏是中国做官以及处世的妙诀，在文章上叫作“代圣贤立言”，又可以称作“赋得”，换句话就是奉命说话。做“制艺”的人奉到题目，遵守“功令”，在应该说什么与怎样说的范围之内，尽力地显出本领来，显得好时便是“中式”，就是新贵人的举人进士了。我们不能轻易地笑前清的老腐败的文物制度，它的精神在科举废止后在不曾见过八股的人们的心里还是活着。吴稚晖公说过，中国有土八股，有洋八股，有党八股，我们在这里觉得未可以人废言。在这些八股做着的时候，大家还只是旧日的士大夫，虽然身上穿着洋服，嘴里咬着雪茄。要想打破一点这样的空气，反省是最有用的方法，赶紧去查考祖先的窗稿，拿来与自己的大作比较一下，看看土八股究竟死绝了没有，是不是死了之后还是夺舍投胎地复活在我们自己的心里。这种事情恐怕是不大愉快的，有些人或者要感到苦痛，有如洗刮身上的一个大疔疮。这个，我想也可以各人随便，反正我并不相信统一思想的理论，假如有人怕感到幻灭之悲哀，那么让他仍旧把膏药贴上也并没有什么不可罢。

总之我是想来提倡八股文之研究，纲领只此一句，其馀的说明可以算是多馀的废话，其次，我的提议也并不完全是反话或讽刺，虽然说得那么地不规矩相。

十九年五月。

附录二：沈启无选辑近代散文钞目录

上卷目次

中郎先生全集序

西山十记（以上录《珂雪斋集选》）

钟伯敬文钞

诗归序

问山亭诗序

隐秀轩集自序

摘黄山谷题跋语记

自题诗后（以上录《翠娱阁钟伯敬合集》）

谭友夏文钞

诗归序（录《钟谭评选古诗归》）

袁中郎先生续集序（《谭友夏合集》）

虎井诗自题

自题西陵草

秋寻诗自序

退寻诗三十二章记

客心草自序

自序游首集

自题湖霜草

自题秋冬之际草（以上录《谭子诗归》）

秋闺梦戍诗序（《媚幽阁文娱》）

刘同人文钞

水关

剡溪

天姥

华盖

石门

小洋（以上录《游唤》）

陈眉公文钞

文娱叙（录《媚幽阁文娱》）

茶董小叙

酒颠小叙

牡丹亭题词

花史跋

游桃花记（以上录《晚香堂小品》）

李长蘅文钞

紫阳洞

云居寺

西泠桥

两峰罢雾图

法相寺山亭图

胜果寺月岩图

六和晓骑图

永兴兰若

冷泉红树图

下卷目次

- 水明廊
- 让鸥池
- 踏香堤
- 小斜川
- 芙蓉渡
- 回波屿
- 妙赏亭
- 远阁
- 柳陌（以上录《寓山注》）

金圣叹文钞

- 贯华堂古本水浒传序
- 水浒传序三（以上录七十回本《水浒传》）
- 论诗手札九则（《贯华堂选批唐才子诗甲集》）

李笠翁文钞

- 海棠
- 芙蕖
- 竹
- 柳
- 随时即景就事行乐之法十一款（以上录《笠翁偶集》）

廖柴舟文钞

- 小品自序
- 丁戌诗自序

图书在版编目(CIP)数据

中国新文学的源流/周作人著作;锺叔河编订.—长沙:岳麓书社,2019.1(2022.7 重印)

ISBN 978-7-5538-0889-5

Ⅰ.①中… Ⅱ.①周…②锺… Ⅲ.①中国文学—文学研究 Ⅳ.①I206

中国版本图书馆 CIP 数据核字(2018)第 036020 号

ZHONGGUO XINWENXUE DE YUANLIU

中国新文学的源流

周作人著作 锺叔河编订

特约编辑:鄢 琨

责任编辑:蒋 浩

责任校对:舒 舍

书籍设计:风格八号

岳麓书社出版发行

地址:湖南省长沙市爱民路 47 号

直销电话:0731-88804152 0731-88885616

邮编:410006

版次:2019 年 1 月第 1 版

印次:2022 年 7 月第 3 次印刷

开本:787mm×1092mm 1/32

印张:3.375

字数:55 千字

印数:7 001—9 000

书号:ISBN 978-7-5538-0889-5

定价:15.00 元

承印:长沙鸿发印务实业有限公司

如有印装质量问题,请与本社印务部联系

电话:0731-88884129